Fleurus Girly Art

C'est toi la styliste

Blandine Lelarge

FLEURUS
www.fleuruseditions.com

BLANDINE LELARGE est diplômée de l'École Nationale Supérieure des Arts Appliqués et des Métiers d'Arts Olivier de Serres. Passionnée de mode, elle travaille pour la publicité, l'édition et la presse féminine. Elle aime particulièrement illustrer des scènes de la vie quotidienne où ses décors sont juste suggérés pour laisser la vedette aux personnages.

Sommaire

Matériel et conseils

Les modèles

Les techniques

Chaque technique a ses particularités et ses contraintes qui la rendent plus ou moins adaptée à tel ou tel type de dessin. Vois celle qui convient le mieux et choisis en fonction des matières que tu souhaites créer. Entraîne-toi, et n'hésite surtout pas à mélanger les techniques.

Crayons graphites

Les crayons graphites sont utilisés pour exécuter des crayonnés et des croquis de recherche. Les ombres et les contrastes de couleur sont rendus par des valeurs de gris, qui varient en fonction de la dureté de la mine. Au quotidien, on se sert d'un crayon HB, mais le crayon 2B confère au dessin un caractère plus marqué.

Crayons de couleur et feutres

Le feutre apporte un aspect plus lisse au dessin, tandis que le crayon de couleur offre d'intéressants effets de matière : granuleux, flou, dégradé très doux, etc. Ces deux outils sont simples et faciles à manier, ce qui les rend parfaitement appropriés aux recherches de postures et d'ambiances colorées.

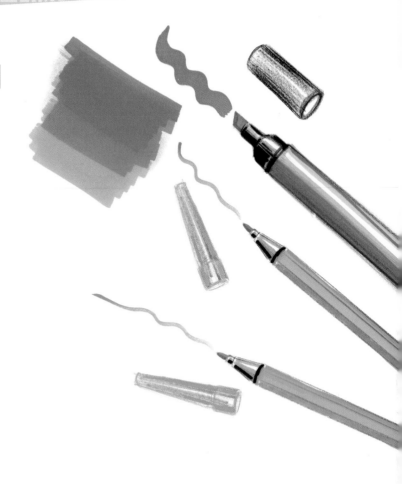

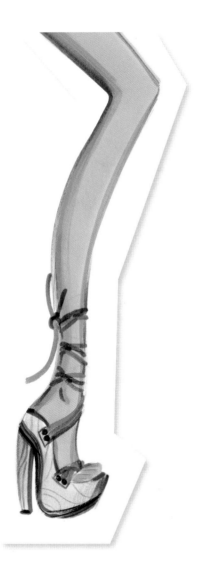

Il existe différents types de feutres qui n'auront pas le même rendu. En fonction de l'effet recherché, choisis des feutres à alcool, à eau, des feutres aquarellables et varie les pointes : fines, larges ou biseautées. Si tu optes pour des feutres à alcool, utilise du papier Layout.

Commence toujours par poser les couleurs les plus claires, et augmente petit à petit les valeurs. Renforce les contrastes en passant du crayon de couleur plus foncé sur une base de feutre. Pour créer des motifs et des lumières, utilise un Posca® blanc ou d'une autre couleur contrastée.

Les techniques

TRAVAILLER ENSEMBLE GOUACHE
ET AQUARELLE PERMET DE CRÉER
UN DESSIN VIVANT AVEC DE LA MATIÈRE
ET DES EFFETS PLUS DÉLICATS.

Gouache

La gouache forme de très beaux aplats veloutés.
Elle s'utilise peu diluée en couche ou au contraire très
diluée en lavis. Commence par appliquer les couleurs
les plus claires puis ombre-les. N'oublie pas de
réserver les zones de lumière à l'avance. Pour
les petites surfaces, tu peux créer ces zones par
la suite en appliquant de la gouache claire en pâte peu
diluée sur la couche de peinture bien sèche.

Aquarelle

L'aquarelle est très prisée pour sa transparence.
Cette technique demande de réserver les zones
de lumière dès le début du travail. Pour créer
des fondus de couleur et des formes originales,
n'hésite pas à dépasser et à utiliser les « taches »
qui se forment. Accentue des motifs et des effets
de matière en dessinant au pastel à la cire avant
l'application du lavis : la cire repousse l'eau et crée
naturellement des réserves.
Fais toujours plusieurs essais et vérifie la charge
de ton pinceau avant de te lancer sur l'original.

Acrylique

L'acrylique est une peinture qui sèche très vite.
Si tu choisis de travailler en aplat, applique plusieurs
couches de la même couleur pour accentuer l'effet
satiné. Au contraire, pose un glacis transparent pour
apporter un effet brillant. Attention, pense toujours
à bien nettoyer ton pinceau avant que la peinture
ne sèche, sans quoi tu ne pourras plus l'enlever.
L'idéal est d'utiliser un pinceau en martre pure
mais c'est un peu coûteux. Un simple pinceau
fin conviendra également.

Les recherches

Un bon dessin de mode demande une maîtrise parfaite des proportions du corps humain. Une fois que tu seras à l'aise pour croquer une silhouette et une posture, tu pourras passer à la phase de recherche plus personnelle et plus créative : déterminer un style, imaginer de nouveaux accords de vêtements, de matières et de couleurs, etc.

Les proportions

Pour déterminer les bonnes proportions, base-toi sur la taille moyenne d'un mannequin (de 1,75 à 1,80 mètres) perché sur des talons. La hauteur de la tête du sujet définit les proportions de toutes les autres parties du corps, dont la totalité représente un peu plus de huit fois la hauteur de la tête.

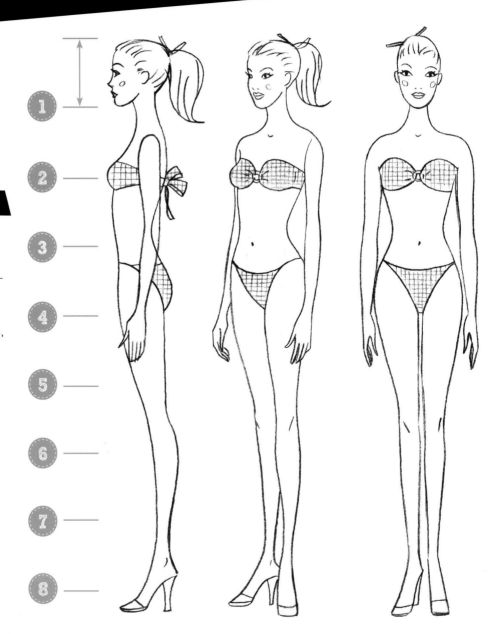

Styliser les silhouettes

Maintenant que tu maîtrises les proportions académiques,
tu peux styliser le personnage : allonger les jambes,
le cou et l'ensemble de la silhouette pour lui donner
de la prestance et du dynamisme. N'hésite pas
à déformer quelque peu certaines parties du corps
pour créer ton propre style : allonger la tête
ou au contraire l'arrondir, agrandir les yeux
si tu souhaites les souligner ou les symboliser
par un simple trait dans une démarche de schématisation,
qui permet de focaliser l'attention sur la tenue.

Tu peux aussi exagérer l'ampleur des vêtements (chapeaux
aux bords interminables, jupes disproportionnées, etc.) :
ce qui compte, c'est avant tout l'attitude, la posture qui
donneront rythme et vitalité à l'ensemble et marqueront
l'esprit de la tenue. Amuse-toi par exemple à croquer
une démarche de défilé. Pour suggérer les matières
et les motifs, joue avec des hachures et des trames
que tu peux réaliser à la mine graphite
ou avec des feutres usagés un peu secs.

Les recherches

La recherche d'une tenue se travaille en crayonné.
Une fois que tu es satisfaite de la posture de ton sujet
et de son allure, pense à composer l'image à l'aide
de découpages, d'assemblages et de collages.
Une image se construit en plusieurs étapes :
pour commencer un crayonné du personnage dans
les grandes lignes, puis le sujet est habillé et enfin,
ce dernier est placé dans un décor dont les différents
éléments animeront la scène.

été
chireux
NOIRS

noirs

vichy

N'HÉSITE PAS
À TESTER TES MOTIFS
À PART POUR BIEN
LES VISUALISER AVANT
DE LES APPLIQUER.

rayures

Les étoffes et les matières

Pour un effet plus vrai que nature, jouer avec les étoffes et les matières est incontournable ! Des plis du tissu qui, selon sa nature, ne tombera pas de la même manière, aux reflets de certaines étoffes, en passant par les aspects des matières, les différents outils offrent de nombreuses astuces.

Les plis

Il est essentiel de bien comprendre comment se forment les plis pour les styliser. Commence par observer ceux d'un foulard disposé négligemment sur une table. Dessine-le alors en simplifiant les ondulations du tissu. Sois particulièrement attentive à la matière : certaines étoffes forment des plis arrondis, que tu rendras par des courbes, tandis que d'autres composent des plis plus anguleux, qu'il vaut mieux traduire par des zigzags. Pense enfin à bien matérialiser la source de lumière afin de placer correctement tes ombres.

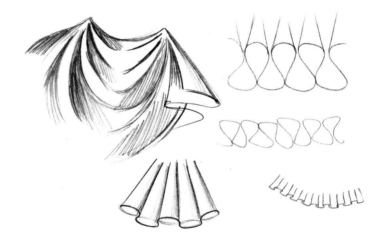

POUR LES VÊTEMENTS, SUIS LE MOUVEMENT DU CORPS : LES PLIS ANIMERONT GRAPHIQUEMENT LE TISSU ET LUI DONNERONT DE LA SOUPLESSE.

Les effets de matière

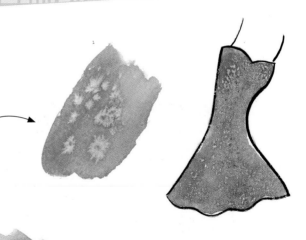

Pour un effet synthétique moiré

AJOUTE DU SEL SUR LA COUCHE D'AQUARELLE HUMIDE ET LAISSE SÉCHER. QUAND LA PEINTURE EST BIEN SÈCHE, ENLÈVE LE SEL AVEC UNE BROSSE.

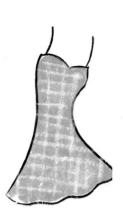

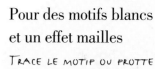

Pour des motifs blancs et un effet mailles

TRACE LE MOTIF OU FROTTE LE PAPIER AVEC UN PASTEL À LA CIRE, PUIS COLORE À L'AQUARELLE.

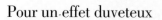

Pour un effet duveteux

DISPOSE DE LA PEINTURE PEU DILUÉE (GOUACHE OU ACRYLIQUE) SUR UNE BROSSE ET TAPOTE-LA SUR LA FEUILLE.

Pour un effet laine à grosses côtes

PASSE UNE COUCHE D'ACRYLIQUE EN APLAT (DU MARRON). QUAND LA PEINTURE EST SÈCHE, PASSE UNE DEUXIÈME COUCHE (DU BEIGE) ET GRATTE TOUT DE SUITE AVEC UN COUTEAU OU UN CUTTER.

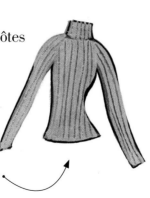

Pour un effet laine brossée

APPLIQUE UNE COUCHE D'AQUARELLE OU DE GOUACHE PEU DILUÉE ET EFFECTUE DE PETITS COUPS DE BROSSE DE HAUT EN BAS.

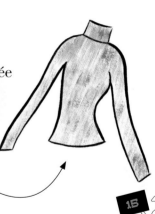

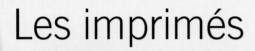

Les imprimés

Il existe une variété infinie de motifs que l'on peut imprimer sur les vêtements. Classiques, comme les pois et les rayures, ou plus originaux, simples ou complexes, ils sont une source d'inventivité sans fin. Joue à les marier, les assortir, les coordonner, les mélanger, mais également à diversifier leur forme et leur couleur !

VARIE LES MOTIFS (CERISIER EN FLEURS JAPONISANT, FLOCONS MINIMALISTES OU ENSEMBLE D'« ÉCAILLES » COLORÉES) TOUT EN CONSERVANT UNE IDÉE D'HARMONIE ET UNE TOUCHE « GRAPHIQUE ».

JOUE AVEC LES TAILLES DE POIS (UNE SEULE TAILLE SUR TOUTE LA ROBE OU AU CONTRAIRE UN PANACHÉ DE DEUX OU TROIS TAILLES), LES RYTHMES ET LES COULEURS.

Le sens des rayures modifie la silhouette. Change également la largeur des bandes et associe des bandes colorées à une couleur unie pour créer un fort contraste.

Puise ton inspiration dans les différentes cultures du monde. Pour apporter une touche d'art moderne à tes vêtements, dessine des motifs très graphiques au trait noir sur fond blanc et ajoute quelques touches d'une ou deux couleurs.

Les imprimés

Les accords colorés

Pour créer les plus belles gammes colorées,
il est important de respecter deux règles simples :
la division des couleurs chaudes et des couleurs froides
et la valeur plus ou moins foncée que l'on attribue
à ces couleurs. On peut ensuite décider de traiter
chacun de ces critères en harmonie ou en contraste
pour obtenir des effets différents. Commence
par choisir une gamme, et fais des essais
afin de trouver les bons accords.

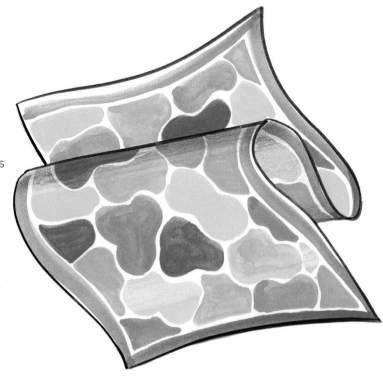

GAMME DE COULEURS CHAUDES
ET PLUTÔT CLAIRES :
DOMINANTE ORANGÉ.
L'ENSEMBLE EST GAI
ET TRÈS LUMINEUX.

Quelques exemples de recherches colorées
à la gouache et au crayon de couleur

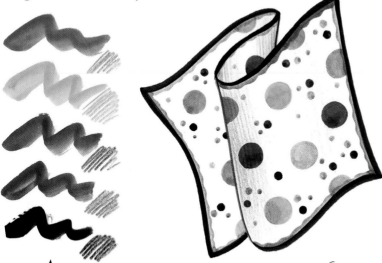

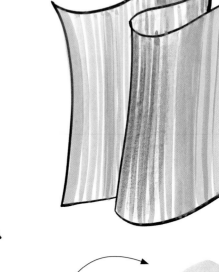

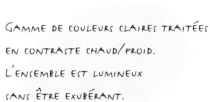

GAMME DE COULEURS CLAIRES TRAITÉES
EN CONTRASTE CHAUD/FROID.
L'ENSEMBLE EST LUMINEUX
SANS ÊTRE EXUBÉRANT.

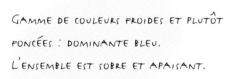

GAMME DE COULEURS FROIDES ET PLUTÔT
FONCÉES : DOMINANTE BLEU.
L'ENSEMBLE EST SOBRE ET APAISANT.

GAMME DE COULEURS CHAUDES, TRAITÉES
EN CONTRASTE CLAIR/FONCÉ.
L'ENSEMBLE, RICHE ET CHALEUREUX, DONNE
PLUTÔT UNE IMPRESSION DE PLÉNITUDE.

AUTOMNE
Chaussures et collants

Difficile de laisser la période estivale derrière soi à l'approche de l'automne. Les jupes s'attardent, mais doivent être accompagnées de collants. Tu peux alors leur assortir les chaussures de ton choix, des sandales aux bottes, en passant par les bottines, escarpins, stilettos, salomés, ballerines, avec une touche mordorée, pour être toujours dans le ton !

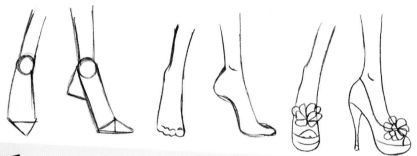

Les collants sont l'occasion de créer de jolies harmonies de couleurs et d'oser des motifs originaux. Pour donner du relief, n'oublie pas d'ombrer le mollet, et pense à ajouter quelques rehauts de blanc plus ou moins marqués en fonction de la matière du collant.

TECHNIQUE Gouache

1 Au crayon HB (mine graphite), esquisse les jambes et les pieds en faisant particulièrement attention à l'articulation de la cheville, représentée par un rond. Puis dessine les chaussures.

2 Repasse tous les traits de contour à l'encre indélébile noire avec un pinceau fin ou bien, pour plus de facilité, avec un feutre fin noir indélébile. Laisse bien sécher et efface les traits de construction.

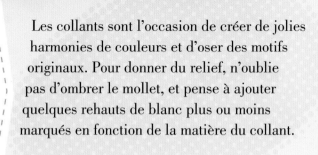

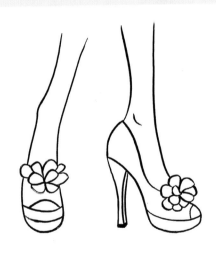

Passe une première couche de gouache
sur les parties à colorer : du bleu cyan mélangé
à du blanc sur le corps de la chaussure (ajoute
un peu plus de blanc pour peindre le talon)
et du magenta mélangé à du blanc pour la fleur.

3

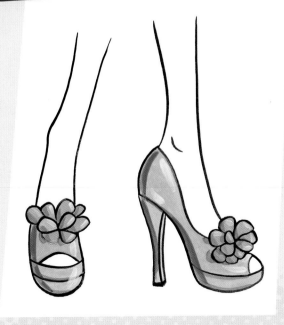

4

Place les ombres sur la chaussure
avec du bleu de cobalt
et du magenta pur sur la fleur.
Ajoute quelques rehauts de blanc
pour matérialiser les zones de reflet.

Armoire à chaussures

Technique : traits de contour à l'encre indélébile noire, au pinceau fin ; couleurs à la gouache et à l'aquarelle.

MARRON AVEC
UNE POINTE
DE ROUGE ET D'OCRE.

TERRE DE SIENNE NATURELLE
ET OCRE ; OMBRER AVEC
DE LA TERRE DE SIENNE PURE.

VIOLET ; OMBRER
AVEC DU VIOLET MOINS
DILUÉ ; REHAUTS
DE BLANC POUR APPORTER
DE LA BRILLANCE.

BLANC AVEC UNE TOUCHE DE TERRE
D'OMBRE BRÛLÉE ; TOUCHES
DE MARRON POUR CRÉER LE VOLUME
DES MOTIFS CROCO, ET TOUCHES
DE BLANC POUR L'ACCENTUER.

AUTOMNE
Sacs à main

Grand cabas pour transporter de nombreuses affaires, besace noire passe-partout, sac fantaisie aux couleurs vives ou aux motifs surprenants, pochette pour accompagner une robe du soir, etc. L'éventail des possibilités est large. Veille seulement à coordonner le sac et la tenue, du point de vue du style comme de la couleur !

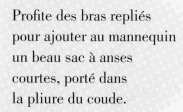

Profite des bras repliés pour ajouter au mannequin un beau sac à anses courtes, porté dans la pliure du coude.

1

Au crayon à papier HB (mine graphite), ébauche le sac à l'aide de formes simples. Pour le corps du sac, commence par tracer des rectangles et en arrondir les angles.

2

Repasse les contours à l'encre et efface les traits de construction.

3

Avec un pinceau plus épais, applique sur les anses et le corps du sac de l'encre indélébile noire en aplat.

Pour les deux bandeaux couturés et la fermeture, pose d'abord une couche de gouache terre de Sienne naturelle mélangée à du blanc, puis marque les ombres avec de la terre de Sienne pure. Pour le motif de quadrillage, commence par apposer les bandes horizontales de couleur plus claire (du blanc mélangé à une touche de terre d'ombre brûlée), puis trace les bandes verticales plus foncées avec de la terre d'ombre brûlée additionnée d'une touche de blanc. Termine par des touches de terre d'ombre brûlée très diluée sur les anneaux métalliques, et quelques rehauts de gouache blanche peu diluée sur les anses.

4

Mitaines

Plus fonctionnelles que les gants grâce à leurs doigts coupés, mais un peu moins chaudes, les mitaines sont parfaites pour la mi-saison, qu'elles soient en cuir, en laine unie et sobre, ou fantaisie. Entraîne-toi à dessiner les mains dans toutes les positions avant de les accessoiriser (voir page 34).

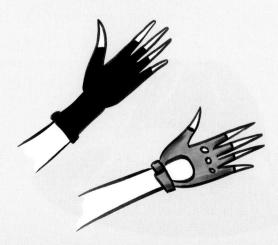

Collection de sacs

23

AUTOMNE
Chapeaux, étoles & Cie

Assortir un chapeau en feutre à une belle étole
ou un foulard qu'on laissera négligemment flotter
au vent est du dernier chic ! Il ne faut cependant pas
oublier de soigner la coiffure et d'accessoiriser par
une paire de lunettes. Pour rendre l'ensemble un peu plus
décontracté, une veste à large col sera parfaite
et donnera en plus du cachet à la tenue.

TECHNIQUE Mixte
(encre et gouache)

1

Esquisse le chapeau au crayon de papier
HB (mine graphite). Commence par
former la tête en volume puis approfondis
le chapeau : d'abord les bords, et enfin
le haut. N'oublie pas de placer le ruban.

2

Un chapeau très simple
donne une touche sophistiquée
à la tenue. Veille à bien
le coordonner avec la veste.

Repasse les traits de contour
à l'encre et place deux traits
sur la partie haute du chapeau
pour indiquer les volumes. Efface
tous les traits de construction.

3

Colore le corps du chapeau avec de l'encre
indélébile noire. Pour le bandeau, utilise
de la gouache : un mélange de terre de Sienne
brûlée, d'ocre et de blanc. Pose des touches
de marron plus foncé pour ombrer.
Termine en ajoutant quelques touches
de blanc sur l'ensemble.

Un col n'a pas le même rendu selon que la veste est ouverte ou fermée : observe bien les différences et pense aussi que l'attitude tout entière en est modifiée.

Astuce

Comment créer l'imprimé léopard ? Commence par appliquer du beige sur le fond, puis ajoute les taches : pose de petites touches de noir (encre indélébile ou acrylique) avec une brosse presque sèche et peu chargée en couleur, puis finis par une touche de marron à l'intérieur de chaque motif.

AUTOMNE
Tenue de saison

Un style plutôt classique peut aisément s'agrémenter de petites touches de fantaisie : bijoux sélectionnés avec soin, sous-pull imprimé, franges de la jupe, chaussures décorées d'une grosse fleur apportent charme et originalité à l'ensemble. Une tenue composite, dans des teintes de saison, adaptée à toutes les situations et à tous les temps !

Esquisse le personnage sous forme d'un mannequin simplifié. Matérialise ses articulations par des ronds et visualise son déhanché grâce à l'inclinaison des axes des épaules et des hanches ainsi que de la colonne vertébrale.

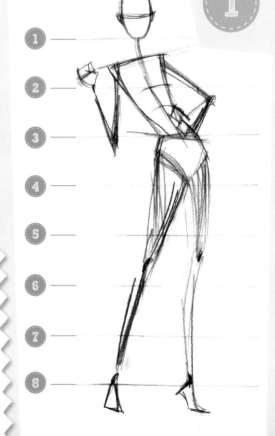

1
2
3
4
5
6
7
8

Astuce

FAIRE DES PETITES ESQUISSES AU FEUTRE POUR TROUVER LA GAMME COLORÉE AVANT DE SE LANCER.

Approfondis le personnage en travaillant les volumes. Place les principaux repères du visage : ligne de symétrie pour le nez, lignes des yeux et de la bouche.

2

CHAIR

ORANGE

ROUGE VERMILLON

BLANC + TOUCHE DE VIOLET

TERRE DE SIENNE NATURELLE + BLANC

BLEU CYAN + BLANC

VIOLET

MAGENTA + BLANC

JAUNE CLAIR

NOIR

Astuce

PROFITE DE CETTE ÉTAPE POUR RECTIFIER LA SILHOUETTE EN ÉCARTANT UNE JAMBE POUR LUI DONNER UN MEILLEUR APPUI OU EN DÉPLAÇANT LÉGÈREMENT UNE MAIN LE LONG DE LA HANCHE.

3

Travaille en détail la silhouette et habille-la, en gommant au fur et à mesure les traits de construction qui rendent le dessin trop confus. Accessoirise le mannequin.

4

Repasse tous les traits de contour avec un pinceau fin et de l'encre indélébile noire ou un feutre fin noir indélébile. Gomme les derniers traits de construction. Ajoute une ou deux feuilles pour créer un décor de saison.

Par précaution, décalque le dessin de l'étape 4 au crayon, puis redessine les contours en noir comme précédemment. Commence ensuite la mise en couleur par les couleurs les plus claires en aplats, et particulièrement la couleur chair.

5

6

Continue à poser les couleurs : un mauve très dilué pour le sous-pull, un marron mélangé à du blanc pour la veste et le ruban du chapeau, un bleu cyan mélangé à du blanc et assez dilué pour les chaussures, un orange soutenu pour les cheveux, un rouge vif pour les collants.

7

Applique de l'encre indélébile noire sur la jupe. Ombre le dessin en utilisant les mêmes teintes pures et moins diluées. Pour les ombres des collants et le dessin de l'imprimé, ajoute une touche de noir dans le rouge. L'imprimé du sous-pull est réalisé avec du violet pur. Pour le sac et le chapeau, voir pages 22 à 25. N'oublie pas les détails.

Idée bijoux

Utilise les bracelets pour créer des rythmes graphiques différents. Crée de subtils rappels de couleur, par exemple en assortissant une bague rouge avec les collants du modèle. Pour faire respirer l'image, tu peux laisser quelques détails au trait sans couleur : les bijoux se prêtent très bien à ce type de traitement.

La touche maquillage

Utilise des tons chauds pour obtenir un maquillage naturel : du rose, du rouge et du marron. Pour rehausser le teint du modèle sans être trop voyant, ajoute une touche de mascara. Les yeux sont d'un bleu profond, parfaitement assorti au sous-pull !

8

Fais ressortir les contrastes à l'aide de petites touches claires ou foncées. Réalise le maquillage du visage. Enfin, reprends les contours noirs et corrige les petites erreurs à la gouache blanche peu diluée si nécessaire.

HIVER
Sacs à main

Pour se protéger des rigueurs de l'hiver, la fourrure est de mise. On la retrouve jusque sur les sacs à main ! Joue sur les effets de matière et crée d'intéressants contrastes entre le cuir lisse et brillant et la fourrure vaporeuse ou une laine épaisse et duveteuse. En retenant des couleurs vives pour tes créations, tu égayeras les tenues les plus sobres.

TECHNIQUE Gouache

Bleu cyan + blanc

Bleu cyan + une touche de blanc

Ocre + blanc

Terre de Sienne brûlée

Ocre

1 Esquisse le sac à l'aide de formes simples, puis arrondis les angles.

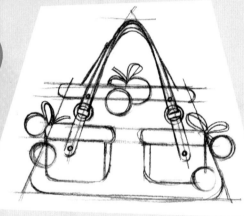

2 Repasse les traits de contour à l'encre noire. Trace des vaguelettes pour former les rabats en fourrure et des petits traits pour figurer la matière floconneuse des pompons. Efface tous les traits de construction.

3 Applique les couleurs : un mélange de bleu cyan, de blanc et d'une pointe d'ocre jaune pour le tissu du sac, et le même mélange avec beaucoup moins de blanc pour les anses.

Ombre le sac avec un bleu plus foncé. Ajoute
un peu de noir dans ce mélange pour réaliser
les ombres des anses. Pour la fourrure, peins un fond beige
composé d'ocre jaune, de blanc et d'une pointe de terre
d'ombre brûlée. Ajoute ensuite des touches de ce même
mélange, mais plus foncé. Colore les boucles métalliques
avec de l'ocre jaune mêlé de jaune. Termine par quelques
rehauts de blanc sur les boucles et les anses pour donner
de la brillance.

Collection de sacs

HiVER
Bottes et chapeaux

En hiver, du bout des pieds jusqu'aux oreilles, on ne laisse rien dépasser ! Pour être prête à affronter la neige, des bottines plates fourrées et une chapka feront l'affaire. Pour un style plus glamour et citadin, il faut miser sur des cuissardes en cuir, mais attention aux glissades !

TECHNIQUE Acrylique

1 Esquisse les jambes et les pieds de façon schématique.

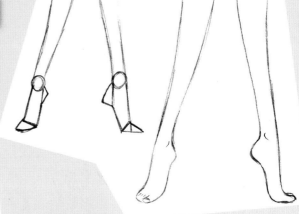

2 Dessine les bottes sur les pieds en faisant attention à ce que le talon soit bien droit. Crée une semelle compensée à l'avant et veille à bien suivre la ligne du tibia en plaçant les lacets.

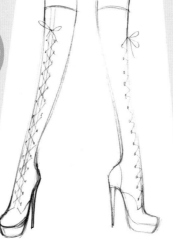

3 Repasse les traits de contour à l'encre. Efface tous les traits de construction.

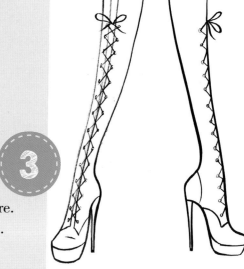

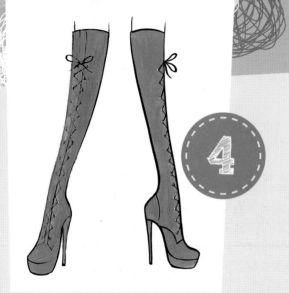

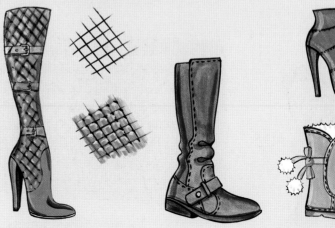

Peins entièrement les bottes avec de la gouache violette mélangée à du blanc.

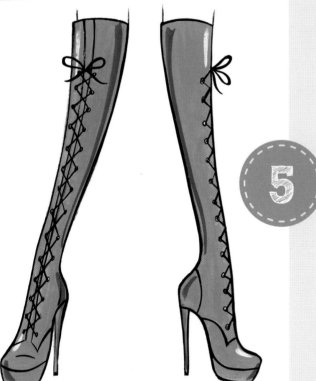

Chapeaux et cols d'hiver

Rien de tel qu'un gros col en fourrure pour se sentir bien en hiver ! Appliquée en bordure d'un manteau, la fourrure apporte une belle touche de chic.

Ombre avec du violet pur et ajoute quelques rehauts de blanc afin de bien marquer les reflets lumineux sur le cuir bien ciré. Repasse les contours noirs qui ont été recouverts de gouache.

HIVER
Gants et ceintures

La première utilité des gants est de bien tenir les mains au chaud, mais ce sont aussi de véritables accessoires de mode. Entre gants chics en cuir fin, longs gants en laine multicolore pour plus de confort et même moufles, le choix est large et souvent pas facile ! Pour les vraies mordues d'accessoires, la ceinture est aussi un incontournable de la garde-robe.

Étude de mains

Pour présenter des gants ou tout simplement accentuer le réalisme des mannequins, il faut bien soigner le dessin des mains. Étudie les similitudes et les différences entre les dos et les paumes, ainsi que l'agencement des doigts dans les différentes positions que peuvent prendre les mains.

Collections de gants

Gants chics

Gants décontractés

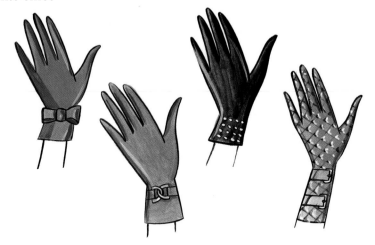

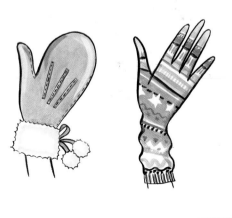

Collection de ceintures

La ceinture se porte traditionnellement sur un pantalon à passants. Mais on peut aussi décider d'en faire un accessoire purement décoratif sur un pantalon, ou une tunique. Choisis alors une couleur contrastée, ou bien crée un rappel de couleur. Les ceintures souples peuvent également se nouer pour un effet décontracté. N'oublie pas que nécessaire ou accessoire, fermée ou nouée, la ceinture aura toujours des effets sur la façon dont tombe le tissu.

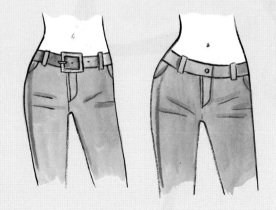

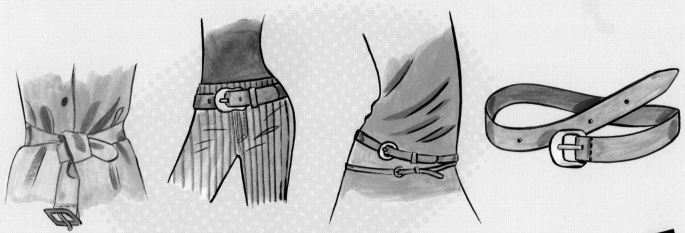

HiVER
Tenue de saison

Pour être élégante en toutes circonstances, rien de tel que des bottes ajustées et montantes en cuir noir, portées avec un élégant manteau violet bordé de fourrure. Rehausse les couleurs sobres et froides de la tenue par quelques accessoires bien choisis, d'une couleur contrastée comme le jaune.

Construis la silhouette avec des formes simples en prenant bien garde aux proportions. Comme le corps est en partie replié, le sujet est un peu moins grand, mais le rapport buste/jambes reste inchangé. Visualise bien également les articulations et les axes du corps : ce sont eux qui donnent de la crédibilité à la silhouette.

1

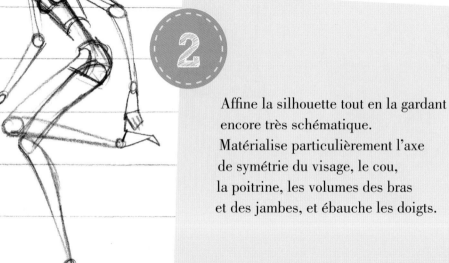

2

Affine la silhouette tout en la gardant encore très schématique. Matérialise particulièrement l'axe de symétrie du visage, le cou, la poitrine, les volumes des bras et des jambes, et ébauche les doigts.

3

Travaille les détails et habille le personnage :
ne pas oublier les accessoires tels que le sac,
les bijoux, le nœud des bottes et les bordures
en fourrure du manteau. Efface au fur
et à mesure les traits de construction
pour ne pas te perdre dans le dessin.

OCRE JAUNE

CHAIR (BLANC
+ OCRE JAUNE
+ MAGENTA)

VIOLET
+ BLANC

GRIS

NOIR

JAUNE   CHAIR FONCÉ

BLEU   ROUGE
DE COBALT VERMILLON

4 Repasse les traits de contour à l'encre indélébile
noire, au pinceau fin, ou au feutre noir fin indélébile,
et gomme les derniers traits de crayon.
Apporte du relief à la fourrure.

5

Décalque le dessin
de l'étape 4 et reporte-le
sans trop tenir compte
des détails. Commence
la mise en couleur par
les aplats de couleur chair.

37

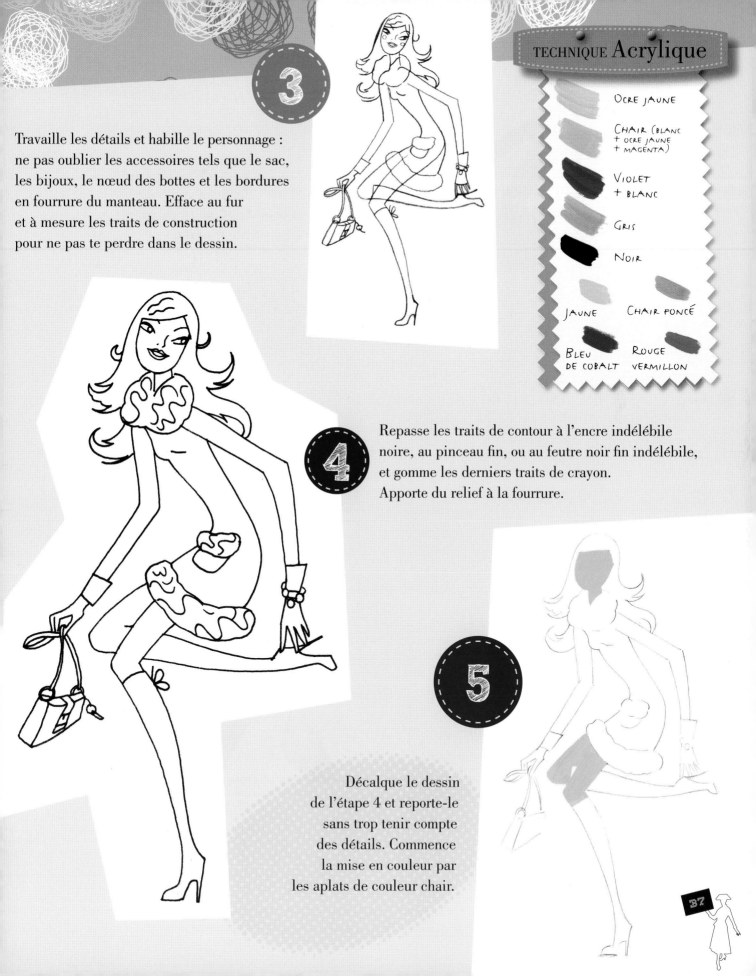

6 Pose ensuite une couche de violet mêlé de blanc sur le manteau.

Avec du gris mélangé à un peu de blanc, donne du relief à la fourrure. Place quelques rehauts de blanc avec une pointe de violet sur les bottes, les gants et les cheveux. Ne pas oublier les derniers détails : sac, bracelet, poche du manteau, maquillage.

Passe du noir uniformément sur la chevelure, les gants et les bottes, et un gris très clair sur les parties en fourrure du manteau. Ombre le manteau, sa fourrure et la peau avec les mêmes teintes plus soutenues. Dessine les détails du visage. Utilise du blanc pur pour les yeux et la bouche.

Idée bijoux

Des bijoux fins avec peu de breloques tranchent sur les matières épaisses et souvent duveteuses des vêtements d'hiver. On peut choisir une parure d'une seule couleur bien marquée, qui contraste fortement avec le reste de la tenue, ou utiliser les bijoux pour créer un rappel coloré d'un des éléments.

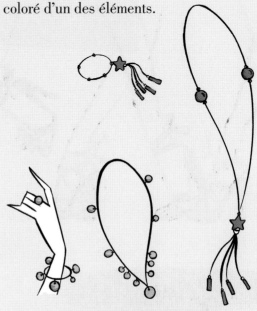

La touche maquillage

Pour un maquillage sophistiqué, il est important de bien choisir les couleurs en les assortissant à la tenue. Ici, les teintes rose, rouge et violette, contrastées par le bleu des yeux rappellent le manteau et donnent une impression d'élégance et de sobriété.

PRINTEMPS
Chaussures

« En avril, ne te découvre pas d'un fil », l'adage vaut aussi pour les pieds : sandalettes, spartiates, mules ou tongs, toutes les chaussures conviennent aux premières douceurs printanières, à condition qu'elles aient des brides ou des rubans !

Sandales à brides, à nœud, à fleurs, à pois, sobres ou multicolores, avec ou sans chaussettes, laisse parler ton imagination !

TECHNIQUE Gouache

2

Repasse tous les traits de contour à l'encre. Efface tous les traits de construction.

1

Avec un crayon à papier (mine graphite), esquisse les pieds en matérialisant les articulations et l'axe des jambes. Dessine la chaussure épousant la forme du pied.

3

Applique une couche de gouache
rouge vermillon sur la chaussure.
Pose un mélange de rouge avec plus
ou moins de jaune sur les bords
de la chaussure et le talon.

Ombre la chaussure
avec du marron terre
de Sienne brûlée
et rajoute quelques
rehauts de blanc
pour apporter
de la brillance.

Armoire à chaussures

PRINTEMPS
Sacs et chapeaux

Des pois, des fleurs, des rubans, des couleurs tendres, le printemps est la saison de toutes les audaces. Laisse libre cours à ta fantaisie pour créer la tenue qui répondra le mieux à tes attentes, en intégrant tous les accessoires nécessaires, du sac au chapeau.

1

Construis le cabas au crayon : le corps du sac s'inscrit dans un rectangle allongé. Place ensuite les anses, les pois et les plis du tissu.

TECHNIQUE **Acrylique**

JAUNE CHARTREUSE   ROSE

JAUNE PRIMAIRE   VIOLET + BLANC

NOIR   ROUGE VERMILLON

2

Repasse tous les contours à l'encre noire indélébile.

3

Peins les pois à l'acrylique en équilibrant bien la répartition des couleurs.

4

Colore les anses et les bordures du sac avec du jaune additionné d'une pointe de vert. Ombre le sac avec un bleu très dilué et les anses avec un vert soutenu et assez dilué.

Astuce

SI TU TRAVAILLES AVEC DE LA GOUACHE, PLACE L'OMBRE BLEU SUR LE SAC AVANT DE PEINDRE LES POIS.

Vert

Ocre jaune

Orange foncé

Orange

2 Reprends tous les contours à l'encre. Passe en noir les lèvres, les cheveux et l'ombre du cou.

1 Au crayon, esquisse la tête de la jeune femme et construis le chapeau autour. Place tous les détails.

Boîte à chapeaux

« En mai, fais ce qu'il te plaît ! » Laisse-toi séduire par un chapeau extravagant aux finitions soignées.

Applique une première couche de gouache.

Ombre le dessin avec les mêmes teintes plus soutenues. Peins également en vert les motifs de fleurs.

PRINTEMPS
Foulards et ceintures

Pour se protéger du soleil, domestiquer des mèches rebelles ou simplement apporter une touche de couleur supplémentaire, le foulard répondra à toutes les envies. Plus long, on peut aussi s'en servir en guise de ceinture, nouée à la taille ou sur les hanches.

Foulards

Utile et élégante, une étole mauve légère protégera de la brise printanière. Pour rendre la matière fluide et transparente, une peinture très diluée laissera voir le dessin en transparence.

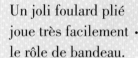

Un beau foulard à pois noué à la façon Grace Kelly et une paire de lunettes noires pour le côté sixties, il ne reste plus qu'à sortir la décapotable !

Un joli foulard plié joue très facilement le rôle de bandeau.

Foulard à imprimé coloré, roulé en bandeau et noué autour d'un chignon haut et flou. Effet bohème garanti !

Foulard en liberty tout simplement noué autour du cou pour un look jeune et sage.

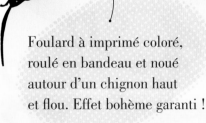

42

Ceintures

Accessoirisée avec un gros nœud à la taille, quelques bijoux, de grosses lunettes noires et une coiffure originale, une simple petite robe noire devient une robe de star.

Un foulard pour souligner la taille, un autre pour accessoiriser un sac à main… le foulard est un accessoire tout-terrain qui personnalise à coup sûr la tenue la plus classique.

La large bande nouée de manière lâche sur les hanches accompagne le mouvement de la jupe ample, conférant à l'ensemble de la fraîcheur.

PRINTEMPS
Tenue de saison

Volontaire et dynamique, la working-girl printanière arbore une tenue élégante et confortable. Un tee-shirt assorti d'une jupe à poches avec de gros pois colorés, voilà pour le côté pratique. Des couleurs acidulées, quelques bijoux et accessoires bien choisis apporteront originalité et sophistication à l'ensemble.

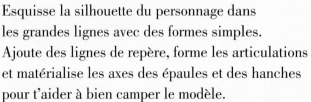

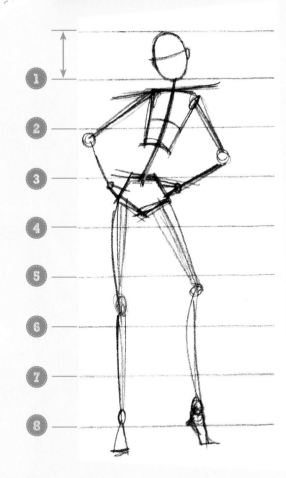

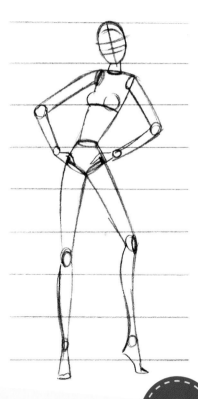

1 Esquisse la silhouette du personnage dans les grandes lignes avec des formes simples. Ajoute des lignes de repère, forme les articulations et matérialise les axes des épaules et des hanches pour t'aider à bien camper le modèle.

2 Tout en restant schématique, modèle le personnage en volume. Place notamment la poitrine et les lignes sur lesquelles se situeront les différents éléments du visage. Efface au fur et à mesure les traits inutiles.

46

CHAIR

ORANGE

ROSE

JAUNE

ROUGE
VERMILLON

BLEU CYAN

MARRON

MARRON FONCÉ

3

Détaille petit à petit le personnage :
vêtements, chaussures, sans oublier
les nombreux accessoires tels que sac,
bijoux, lunettes, étole. N'oublie pas
le maquillage.

4

Approfondis les détails des accessoires.
Repasse tous les contours à l'encre indélébile
noire au pinceau fin ou au feutre noir fin
indélébile et gomme les derniers traits
de construction.

Décalque le dessin de l'étape 4 sans faire
trop attention aux détails. Commence
par appliquer les couleurs en aplats.

Ombre le dessin avec des teintes
un peu plus soutenues (rajoute
du rouge dans la teinte chair, etc.) Pour
les ombres du sac, utilise un mélange
de bleu et de blanc. Commence à
ajouter quelques détails : éléments
du visage, bracelets, mèches de cheveux.

Passe une seconde couche d'ombres, encore plus soutenues. Finalise les détails : imprimé à pois de la jupe, collier, détails de la ceinture, brides rouges des chaussures, reflets dans les lunettes, maquillage.

Idée bijoux

Opte pour des bijoux graphiques assez discrets : une chaînette plutôt sobre, agrémentée de boutons ronds superposés qui apportent une touche de couleur. Tu peux aussi y ajouter quelques breloques pour plus de fun.

La touche maquillage

Pour un maquillage frais et de saison, contente-toi du minimum : fard à paupière vert très clair, lèvres roses et une touche de blush sur les pommettes pour la bonne mine, sans oublier le mascara pour de sublimes yeux papillonnants !

ÉTÉ
Chapeaux

L'été est la saison par excellence des mariages :
l'occasion rêvée pour arborer de magnifiques chapeaux !
À large bord, coordonne-le soigneusement à la tenue.
Dans tous les cas, ne néglige pas la coiffure, car il faudra
bien enlever le chapeau à un moment…

TECHNIQUE Gouache

1 Construis d'abord la tête, puis le chapeau : trace une large ellipse horizontale pour les bords et un demi-cercle qui surplombe le crâne. Affine en plaçant les détails : le ruban, le nœud, le visage.

2

Repasse les contours à l'encre. Efface tous les traits de construction. Applique tout de suite de l'encre noire sur les cheveux et sous le menton pour former l'ombre.

Peins un quadrillage de lignes horizontales et verticales sur l'ensemble du chapeau avec un mélange de jaune et de bleu cyan. Colore le nœud avec ce même mélange. Place les ombres avec du vert. Termine par les détails du visage : les yeux bleus, les lèvres et les pommettes.

Coiffures

Choisis la coiffure en fonction de l'effet souhaité : coupe courte à la garçonne, cheveux libres ornés d'une fleur colorée, vague sur le côté ou cheveux plaqués en queue-de-cheval sur le côté. Pour les cheveux clairs et les coiffures plaquées, place des reflets pour animer les cheveux.

Boîte à chapeaux

Chapeau chic masculin, modèle voyageuse, chapeau à large bord rose bonbon : il faut se préserver des rayons du soleil en toutes circonstances, en promenade à la campagne comme dans une garden-party.

ÉTÉ
Chaussures et pochettes

Après le chapeau, choisis bien les chaussures : élégantes et confortables, dans des couleurs audacieuses, mais toujours en harmonie avec l'ensemble. Quant au sac, la pochette est vivement recommandée pour un encombrement minimal ! Mais rien n'empêche de choisir un grand et beau sac en « vedette » de la tenue.

Armoire à chaussures

L'été est la saison par excellence des chaussures ouvertes, sandalettes, spartiates ou mules. C'est aussi le grand festival des couleurs et des matières (tongs à semelles en plastique coloré, en bois, en liège, recouvertes de tissu, etc.). Enfin, puisque l'on montre ses pieds, n'hésite pas à ajouter des ornements : gros nœuds, perles et breloques, rubans à nouer autour de la cheville…

TECHNIQUE Gouache

MAGENTA
+ BLANC

JAUNE
+ OCRE JAUNE
+ BLANC

Inscris le sac dans un rectangle pour bien visualiser les proportions, mais assouplis l'ensemble en arrondissant tous les angles et en affaissant légèrement le milieu du sac. Place ensuite les détails et les plis.

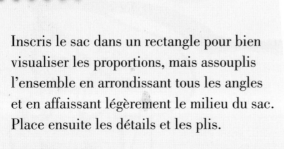

2 Repasse les contours à l'encre
en veillant à varier l'épaisseur de trait.
Les pleins et les déliés permettent
de donner du relief au dessin. Efface
tous les traits de construction.

3 Peins les renforts en cuir et les anses
avec un mélange de gouache magenta et blanche.
Avec ce même mélange, trace des lignes horizontales
régulières sur toute la partie en tissu du sac.

Collection de sacs

Pochette en vichy rose pour une soirée branchée à Saint-Tropez. Pochette bleue matelassée pour une soirée huppée. Pochette orange à fermoir métallique pour relever une tenue sobre ou compléter une robe dans les tons fauves.

4 Toujours avec ce mélange, trace des lignes
verticales pour terminer le motif vichy. Ombre
l'ensemble avec du rose un peu plus soutenu. Pour
les parties métalliques, pose un mélange de jaune,
d'ocre jaune et de blanc. Utilise ce même mélange
plus foncé pour placer les ombres. Reprends
le trait noir de contour, mais pas partout, afin
de garder le côté vivant et dynamique de la peinture.

53

ÉTÉ
Accessoires et tenues légères

Sois la plus belle de la plage grâce à un style sans défaut où tout, jusqu'au moindre accessoire, est étudié. En petite robe légère ou en bikini coordonné, chausse tes lunettes, abrite-toi nonchalamment derrière un éventail, et à toi la Riviera !

Éventails

En tissu orné de motifs floraux ou de dentelle dans sa version classique, l'éventail évoquera irrésistiblement les chaudes nuits espagnoles. Surtout s'il est assorti d'une grosse fleur dans les cheveux ! Dans un autre style, l'association d'une armature bleu tendre avec un vichy rose renverra plutôt à l'atmosphère très féminine des boudoirs du XVIIIᵉ siècle.

Astuce

VEILLE À LAISSER DEVINER L'ARMATURE PAR TRANSPARENCE, AFIN QUE LE DESSIN RESTE BIEN LISIBLE.

Lunettes

Astuce

LES LUNETTES DE SOLEIL LAISSENT TOUJOURS VOIR DE NOMBREUX REFLETS : PLACE D'ABORD UNE GRANDE ZONE PLUS SOMBRE, PUIS AJOUTE DES PETITES TOUCHES PLUS CLAIRES QUE LA TEINTE DE BASE.

La façon de porter ses lunettes a aussi son importance : remontées dans les cheveux en serre-tête, elles ne sont plus qu'un accessoire de mode, et portées sur le bout du nez, elles permettent de lancer des œillades espiègles.

Chic, glamour ou sport, le type de lunettes de soleil n'est pas anodin, il donne une indication immédiate sur le style. Es-tu plutôt grosses montures pour voir la vie en rose, rêve bleu ou aviateur ?

Tenues de plage

Avec cette petite robe bleue agrémentée de strass,
les accessoires doivent être simples, pour ne pas
surcharger l'ensemble, mais on peut unifier
la parure par des rappels colorés. Pour varier
la tenue, remplace la robe par un ensemble
bikini et jupe paréo.

À rayures ou à pois, le bikini est la base
de la mode estivale. Joue sur les matières :
des rayures placées les unes à côté des autres
sans contour nettement tracé donnent un effet
mailles ; en associant le soutien-gorge
à un boxer taille haute resserré par un cordon
à la taille, tu obtiendras un ensemble
de bain au charme délicieusement rétro.

Astuce

POUR OMBRER UN TEL ENSEMBLE, FAIT DE TOUCHES DE COULEURS
JUXTAPOSÉES, UTILISE UNE COULEUR NEUTRE (UN MARRON TRÈS SOMBRE)
TRÈS DILUÉE : LES DIFFÉRENTES TEINTES DE BASE SERONT ENCORE
VISIBLES PAR TRANSPARENCE, RENDANT LE DESSIN PLUS RÉALISTE.

ÉTÉ
Maillots de bain

Pas besoin d'une foule d'accessoires pour être élégante : sur la plage, la beauté est dénudée et tout se joue dans le choix initial du maillot de bain. Du bikini-ficelle avec ou sans bretelles au maillot une pièce plus ou moins travaillé, opte pour celui qui mettra le mieux en valeur la silhouette.

Avec une couleur franche et un joli tissu, il suffit d'un simple petit détail pour faire la différence : un petit volant sous le soutien-gorge, repris à la base du boxer, de jolies chaussures assorties, et le tour est joué !

Il n'est pas toujours facile de porter un maillot blanc, mais cela présente quelques avantages : il fait ressortir le bronzage et permet également de choisir des accessoires aux couleurs vives.

Pour bronzer sans traces, opte pour un bikini sans bretelles avec une culotte taille basse tout juste nouée sur les côtés. Évite aussi au maximum les accessoires : une paire de lunettes suffira.

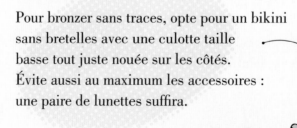

Accessoire essentiellement pratique, le grand sac
de plage ne déparera pas la tenue si tu le choisis
d'un motif et/ou d'une couleur coordonnés au bikini.

Pour celles qui ne veulent pas montrer leurs jambes,
ou qui souhaitent simplement être un peu plus
habillées, pense au paréo ou à la grande serviette nouée
autour de la taille. Marcher sur la plage, armée de
serviette et cabas, sur de hauts talons est un exercice
périlleux, mais te fera remarquer à coup sûr !

Le bikini noir minimaliste est toujours du plus bel effet :
il suffit d'un petit nœud sur le côté pour casser la rigueur de l'ensemble.

ÉTÉ
Tenue de saison

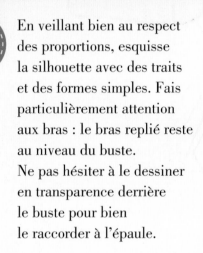

La vacancière veut être à l'aise pour porter sa valise et son chien. Ses accessoires seront donc pratiques à l'instar du bandeau qui retient ses mèches folles et empêche ses lunettes de glisser. Mais pas question de renoncer à avoir du style : elle marie avec bonheur les vichys bleu et rose, repris, comble du chic, sur le manteau de son chien !

1 En veillant bien au respect des proportions, esquisse la silhouette avec des traits et des formes simples. Fais particulièrement attention aux bras : le bras replié reste au niveau du buste. Ne pas hésiter à le dessiner en transparence derrière le buste pour bien le raccorder à l'épaule.

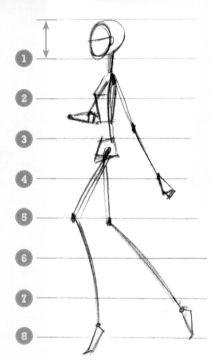

2

Modèle la silhouette en volume et place les lignes de repère du visage. Dessine correctement les mains, le petit chien dans ses bras et la queue-de-cheval. Commence à gommer les traits de construction inutiles afin de ne pas surcharger le dessin.

CHAIR

MAGENTA
+ BLANC

BLEU CYAN
+ TOUCHE
DE BLANC

VERT

MARRON

JAUNE
+ OCRE JAUNE

OCRE JAUNE

VIOLET

Détaille le personnage et habille-le.
Réalise les accessoires : sac, étole,
bijoux, bandeau, lunettes, valise,
chaussures, les motifs vichy
de la jupe et du bandeau.
Ne pas oublier de procéder de même
avec le petit chien. Efface les traits
de construction au fur et à mesure.

Repasse tous les contours à l'encre noire
indélébile avec un pinceau fin. Rajoute encore
quelques détails (l'étiquette de la valise,
les mitaines, un dernier sac de shopping).
Efface les derniers traits de crayon.

5

Décalque le dessin de l'étape 4, reporte-le au crayon puis repasse de nouveau les contours au noir. Commence la mise en couleur par la peau et les cheveux. Pour ces derniers, passe une première couche de jaune mélangé à un peu d'ocre jaune, puis reprend quelques mèches avec de l'ocre jaune pur.

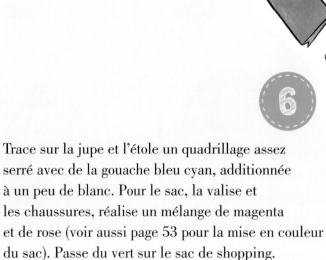

6

Trace sur la jupe et l'étole un quadrillage assez serré avec de la gouache bleu cyan, additionnée à un peu de blanc. Pour le sac, la valise et les chaussures, réalise un mélange de magenta et de rose (voir aussi page 53 pour la mise en couleur du sac). Passe du vert sur le sac de shopping.

Idée bijoux

Combine des chaînes avec de petits pendentifs de formes variées aux belles couleurs vives : papillon bleu, cœur en vichy, cerises ou cornet de glace, tout est permis ! Opte pour des bracelets fins et colorés afin d'ajouter une nouvelle touche de gaieté sans surcharger l'ensemble.

La touche maquillage

Pour un maquillage frais et de saison, reprends les teintes de la tenue : un fard à paupières bleu relativement discret (réalisé avec un mélange de cyan et de blanc, assez dilué) qui contraste avec un rouge à lèvres rose éclatant (du magenta pur). Souligne également la pommette avec une touche de blush rose (mélange de magenta et de blanc assez dilué) pour un aspect encore plus pimpant.

7

Applique une couche de noir indélébile sur le débardeur, le bandeau et le collier du chien. Place quelques ombres avec une couleur plus foncée de la même gamme (supprimer le blanc du mélange mais ne pas y ajouter de noir) ou avec une couleur contrastée (rose très dilué sur la jupe et l'étole, bleu très dilué sur la valise et les chaussures). Ombre le chien avec de l'ocre jaune. Travaille enfin les détails.

Aux éditions Fleurus

Dans la même collection

Dessine ta mode,
Blandine Lelarge

Dessine les chevaux,
Isabelle Mandrou

Dans la collection « Coup de crayon »

Direction éditoriale
Guillaume Pô

Édition
Mathilde Guillier

Direction artistique
Armelle Riva

Mise en pages
Les PAOistes

Fabrication
Thierry Dubus et Sabine Marioni

Un grand merci à Anne-Sophie Carpentier
pour son aide précieuse.

© Fleurus Éditions, septembre 2011
Dépôt légal : septembre 2011
ISBN : 978-2-215-10250-2
1re édition. N° d'édition : P11121

Photogravure
Les PAOistes

Achevé d'imprimer en France par Jean-Lamour
Groupe Qualibris

Loi n° 49-956 du 16 juillet 1949 sur les publications
destinées à la jeunesse.

www.fleuruseditions.com